幸せは
あなたの心が決める

渡辺和子

ノートルダム清心学園理事長

PHP

はじめに

九州のある小学一年生の女の子のお話です。新聞で紹介され、人づてに広まっているそうです。

*

ある日、女の子が学校から家に戻ると、「今日の宿題は？」と父親に尋ねられます。

「今日はね、誰かに抱っこしてもらうこと」と答えた女の子を、父親は「よーし」と言ってすぐに、しっかり抱いてやりました。

そしてその後も、母親、祖父、曽祖母、姉たちに次々と抱っこされたのです。

翌日、学校から戻った女の子は、六人に抱っこしてもらった自分が一番だったと父親に報告します。

「皆、してきたんだね」と言う父親に、「ううん。何人かしてこなかった。先生が、前に出なさいと言って前に出たんだ。そしたら先生が、一人ひとりを抱っこしてやったんだよ」。

＊

宿題をしてこなかった子どもたちを叱《しか》るでもなければ咎《とが》めるでもなく、親の代わりに抱っこしてくれた先生の姿に、私は心温まる思いがしました。

そして、私たちの大学を出て教職につく一人ひとりが、こんな先生になってほしいと思ったことでした。

東日本大震災の後で、一人の学識者がこう言っていました。

「今や我々は、天災、人災、文明災にさらされている」

たしかに、めざましい文明の発達は、私たちに多くの利便を与えています。そのおかげを受けている私たちは、時に、それがもたらした〝災害〟も考えてみる必要がありはしないでしょうか。たとえば、人間性の劣化です。

マザー・テレサは言いました。

「愛の反対は憎しみではなく、無関心だ」

抱っこの宿題を我が子にしてやれない親、肩から掛けた「抱っこぬの」の中で幼児に乳首をあてがいながら、一心にメールを打っている母親に育てられた幼児は、満腹はしても、心の満足は味わっていないのではないでしょうか。

〝あなたがたいせつ〟と抱きしめる愛、乳をふくませながら幼児を見つめ、ほほえみかける愛を持つ母親、便利な機器を駆使しながらも、機器の奴隷《どれい》でなく、主人であり続ける人たちを育てたいのです。

幸せはあなたの心が決める

目次

はじめに

第1章　人は不完全なもの

第2章　求めたものが与えられなくても

第3章　自分を見捨てない

第4章 輝いて生きる秘訣《ひけつ》

第5章　愛ある人になる

第1章
人は不完全なもの

罪びと

人は不完全なもの

若い時、聖人と罪びとについて読んだことがあります。私たちの中には、自分だけが聖人で、他は皆罪びとであるかのように振舞う人がいるものですが、その反対もあるということ。

つまり、自分は「罪びと」というか不完全で当たり前なのだが、周囲の人々は皆「聖人」でなければならない。したがって、すること、なすこと完全で、私を誤解してはいけないし、私に対して腹を立ててもいけない。私に対していつも笑顔で機嫌よくあるべきだ――なぜならあなたは聖人なのですもの。

でも私は違う。私は罪びとなのだから、不完全なところがあっても、大目に見てもらうのが当たり前。機嫌の悪い日もあるし、人を誤解するのも当然、という考え方です。

私は若い時に、母に対してとても冷たく、つらくあたった時期がありました。母も生身の人間なのですから、頭の痛い日、熱があり、朝食の仕度《したく》ができない日があって当然なのに、それが許せなくて腹を立てたまま職場へ出かけたことが何度かあり、今になって本当にすまないことをしたと思っています。

生来、他人に対して不寛容なところのある私は、修道院という共同生活でも、他人のすること、なすことを心の中で批判したり、非難することが多く、苦しんだものです。そういう生活の中で出会った一つの言葉が私には救いとなりました。

「この世の中に、神以外のものはすべて被造物《ひぞうぶつ》であり、不完全なものである」

ああ、本当にそうだ。人に完全なものを求めてはいけない。人の不完全のあらわれに腹を立てるということは、自分の分際《ぶんざい》をこえたことなのだと、しみじみわからせてもらったのでした。

しかも不思議なことに、他人を批判したり非難したりすると、必ずといっていいほど、その後で自分が同じことか、もっとひどいことをしでかすのでした。

たとえば、鍵《かぎ》をどこかへ置き忘れて大騒ぎをしている人を、「まあ、不注意な人。あの人はいつもああなんだから」と心の中で思ったとします。

その翌日、自分が自分の鍵をどこかへ置き忘れるのです。

仏教的にいえば、これはバチが当たったということになるのかも知れません。私にとっては、自分の思い上がりを正していただく良い機会だと思っています。

自身を「罪びと」にして、自分以外の人を「聖人」にしてはいないか。

神以外のものは、すべて不完全なものだから、人に腹を立てるのは、分際をこえた思い上がり。

自己解放

人を許せば自分も救われる

「許す」気持ちを持つことは、他人のためにも必要なことですが、自分もまた救われます。教皇ヨハネ・パウロⅡ世が、

「人を許す時、許した人は自由になり、解放されます。人を許す時、その人は未来を創造的に切りひらいてゆくことができます」

と言っていますが、他人を許さない時、その人は不自由になります。

その理由を教皇は続けて、次のように言っています。

「人を許さない人は、また、他人の支配下にある人なのです」

これはおもしろい言葉です。

「許さない」と言う人が上位に立っているかと思うと、実はそうではなくて、その「こだわり」に縛られ、許していない相手の支配下にあるということ。自分が自分の主人でないということなのです。


ある人がパーティに出席していた時のことでした。

シャンペングラスを手に立っていると、突然一人の男が、わざとぶつかってきて、そのはずみにシャンペンがこぼれ、服にもかかってしまいました。

「何と失敬なやつ、いったい何の恨みで……」

そう思いながら、くだんの男の姿を追っていると、その男が、他の人たちにも同じようにわざとぶつかっているのが見えました。

そこでその人は、「ああ、あれは彼の問題だ。私のではない」と呟《つぶや》いて気分を転換したというのです。

つまり、自分に何かしら悪いところがあるから、ぶつかってきたというのなら、かかわってゆかねばならないが、そうではない。これは、「相手の問題なのだ」と割り切ることがたいせつで、心の平静を保ち、自分に対して理不尽なことをしたり、無礼なことを言ったり、したりする人を「許す」ことと無関係ではありません。

「それは、無視することですか?」と尋ねられたことがあります。

ある意味で、そうかも知れません。

しかし、「あんなやつ、放っておけばいい」という無視ではなくて、「私があの人のことで心を騒がせる筋合いではない」という、「距離」を置く生き方といったらいいでしょう。

そうでなくても、自分の心をいっとき乱されて口惜しいのに、それを深追いして、これ以上、自分のかけがえのない一生の時間を無駄にしたくないというプライド――「他人の支配下」に自分を置いたままにしたくないという自己解放への願いと言っていいかも知れないのです。

自分の生活をたいせつにするためには、自らの感情を自分でスッパリ「断《た》ち切る」ことが時に必要です。

「もう、これ以上このことで悩むまい」と。

しかし、人間のこと、断ち切ったつもりでも、なかなか忘れられず、許せないこともあります。そんな時、時間が一番いい薬なのかも知れません。

人を許した時、許した人は自由になる。

理不尽な相手は、無視するのではなく、距離を置いてみよう。

人間関係

人と人とのあいだを美しくみよう

八木重吉《やぎじゅうきち》は謳《うた》っています。

人と人とのあいだを
美しくみよう
わたしと人とのあいだをうつくしくみよう
疲れてはならない

人間関係はむずかしいものです。

重吉は決して人間関係を美化しようとしているのではなく、わざと曲解《きょっかい》したり、こだわったり、いらないおせっかいをすることなく、人間の不完全さをしっかり心に刻み、自分の罪深さも自覚した上で、人と人とのあいだを美しくみようとしているのでしょう。

「許す」ための工夫も必要です。

たとえば、許せない行為に出会った時、もし自分が相手の立場に置かれていたら、もっとひどいことをしたかも知れないと想像すると、何となく、いきり立っていた自分がおかしくなって、相手を容認しやすくなります。

また、キリストでさえ、ひどい仕打ちを受けたのだから、私のようなものが受けるのは当たり前だと考えることもできるし、苦労して初めて人間は成長するのだ、ありがたい、と考えることもできましょう。

いずれにしても、「疲れてはならない」のです。

しかし疲れます。特に、自分がこんなに苦労して、私と人とのあいだを美しくみようとしているのに、その相手が少しも努力していないような時。

そんな時、私は「疲れてはダメ」と自分に向かって呟くのです。

多分、重吉にも、そんな思いがあったのではないでしょうか。

人間関係を、曲解やこだわりで余計にこじらせないこと。

キリストでさえ、ひどい仕打ちを受けたのだから、
私が受けるのは当たり前。

批　判

意地悪く批判しない

他人を批判することは、さほどむずかしくありませんが、自分に対してなされる批判を素直に受け取るということは、必ずしもやさしいことではありません。

それは、批判されるということが、ある意味で「裁かれる」ことであり、往々にして自分が否定される可能性さえ持っているかも知れないからです。

批判する能力は、人間に与えられた特権ですから、これを用いることは時にたいせつなことですが、やはり相手への思いやり、優しさがあってほしいと思います。

「あの人は、正直者だけれども仕事が遅い」

と言うのと、

「あの人は、仕事は遅いけれども正直者だ」

と言うのとでは、同じ人物への批評でも、どこか違っています。

そして、その違いは、批評する側のポイントの置き方から生まれているのです。

つまり、相手の悪いところを強調しようとしているのか、相手の良いところを強調しようとしているのかの違いなのです。

私たちの誰一人として、この世に自分から望んで生まれてきた人はいません。ということは、つまり皆、生きることに自信を持っていないのです。

だからこそ、つらいこと、苦しいことの多い人生を生きてゆくためには、「あなたは生きていていいのだ」という、他人からの励ましと優しさが要《い》るのです。

その優しさが、今日も他人から与えられず、かえって冷たい批判しか与えられなかったような時、私はこう言って自分を慰《なぐさ》めてやるのです。

「イエスさまでさえ、ひどい批判をいっぱいお受けになったのだから、私がこのように扱われるのは当たり前」と。

そして、「自分は、どんなことがあっても、他人をわざと意地悪く批判するまい」と心に決めると、不思議に心が軽くなるのです。

他人を批判する時でも、
思いやりと
優しさが必要。

お互いにつらいことの多い人生を生きているのだから、
相手の悪い点を強調するような言い方はしない。

寛容

真の愛にはきびしさがある

私はかつて、提出日を守らなかった一人の学生のレポートを受け取らなかったことがあります。

その学生は、ひとしきり言い訳を言った後で、「シスターはクリスチャンのくせに、一頭の迷える羊を救おうとはなさらないのですか」と言うのでした。

一瞬たじろいだ私は、「いいえ、迷える羊を見捨てはしませんよ。やがて社会に出てゆくあなたに、甘えが通用しないきびしさがあることを、今のうちに知ってほしいからこその処置なのです」と答えたものでした。

その学生はその後卒業し、結婚したといっては手紙をくれ、子どもが生まれたといっては知らせてくれています。

果たしてあの時に、「ああ、いいですよ」と言ってレポートを安易に受け取っていたとしたら、今日の、この人と私との温かい心の通い合いができていただろうか、と思うことがあります。

寛容というのは、「寛大で、よく人を許し、受け入れ、咎《とが》めだてをしないこと」と定義されていますが、それは決して「大目に見てやる」といった「甘やかし」と同じではないと思うのです。相手を許し、受け入れるにあたっては、真の思いやり、愛が、一見きびしく思えることさえあるのです。

私は、真の「寛容」というものを、一人のアメリカ人のもとで仕事をしていた二十代の七年の間に、しっかり身をもって教えてもらいました。

こと、仕事に関しては「寛容」のかけらもないきびしさであり、「ただの一セントの計算違いであったとしても、正確でないという点では、一万ドルの計算違いと変わりない」という論理を持ったその人のもとでは、僅《わず》かの間違いも許されませんでした。

でも、温かかったのです。その人は人間そのものに対して、いつもその弱さを包み込み、許す愛と広い心の持ち主でした。

「迷える羊」に対する愛とはどういうものかを教えてくれた人でした。

相手を思えばこそかけられる、きびしい言葉がある。

寛容とは「大目に見てやる」ことや「甘やかす」こととは違う。

人の意見

聞きたくない意見にたいせつなヒントがある

「親の意見となすびの花は、千に一つも無駄はない」という諺《ことわざ》を引き合いに出され、口答えをいっさい許さない母親に育てられた私は、幼い時は、一見、人の意見によく聞き従う子どもでした。

ところが十代後半ともなると、親にも批判的になり、それまで抑えつけられていたものが一挙に噴き出して、今度は無闇《むやみ》やたらに自己主張する人間に変わってしまいました。

好きな人の意見なら、素直に聞くけれども、嫌いな人の意見には耳を貸さない。または、相手が嫌いというだけで、正論に対しても反撥《はんぱつ》する私でした。

その私に、意見というものは、「相手」を離れて、客観的に受けとめるものだと教えてくれた人がいました。

「誰が言おうと、正しい意見には従いなさい。間違った意見に従う必要はない」

と、その人は、はっきり言ってくれました。

相手の意見を検討するためには、まず自分が自分なりの意見、判断を持っていなくてはなりません。さらに、自分の考えのみが正しいとは限らないという謙虚さと、他人には他人の考えがある、という相手の人格への尊敬も必要なのです。

自分のがそうであるように、他人の意見もまた、その人が辿《たど》ってきた人生の歴史から生まれたものであり、その人の価値基準に基づいて形成されているということを、頭に入れて聞くことがたいせつです。

いくら人の意見を聞いたとしても、最終的に決断をくだすのは、他ならぬ自分であり、したがって、その決断の結果に対する責任は、あくまでも自分が取らなければならないのだというきびしさも、忘れたくないと思います。

自分が「聞きたくない意見」を言ってくれる人をたいせつにしないといけません。そういう意見こそが、案外、自分の取るべき道を、より明確にしてくれるものだからです。

嫌いな人が
言うことでも
正しい意見には従いなさい。

「聞きたくない意見」を
言ってくれる人をたいせつにしよう。

甘え

依頼心を捨てた時に力が生まれる

ある人が、こんな話をしてくれました。

その人は、久しぶりに自分の友人を山の中に訪ねて行ったそうです。積もる話に花が咲いて、いつしか日が暮れ、外は山のこととて天候が変わって嵐になりました。

久しぶりに訪ねて行った自分なのだから、一晩ぐらいは泊めてくれるだろう、そう思っていても一向にその気配がありません。

そこで、「遅くなったから、そろそろ帰ろうか」と言ったところが、友人は引き止めもせず、「山の麓《ふもと》まで送ってやろう」とも言わなかったそうです。玄関の格子戸《こうしど》を開けると、外は真っ暗。「暗いなあ」と言うと、友人は「暗いから気をつけて帰れよ」とだけ言って、懐中電灯さえ貸してくれません。その人は真っ暗闇の中を、木の根につまずいたり、こけつまろびつ、山裾《やますそ》まで下りて行きました。

すると、そこでは雨もやみ、風も凪《な》ぎ、月の光さえ射《さ》していたそうです。そしてその時に、依頼心とか甘えをいっさい切り捨てた時に生まれる自分の力に気づき、何とも言えない清々《すがすが》しい気持ちを味わったと話してくれました。

これは一人の方の体験談ですけれども、私たちも往々にして、泊めてくれないとわかっていながらなお、見送ってくれるのではなかろうか、見送ってくれないとわかりながらも、せめて明かりぐらいは持たせてくれてもよさそうなものを、と思いがちです。

しかしながら、そういう未練や甘えといったものが一つひとつ拒否され、自らも最後の依頼心を捨て去った時に、案外、道がひらけてくるものです。

自力で何かを成し遂げた喜びというのは、甘えさせてもらった時に味わう喜びとは異質なものです。

それはちょうど、トンネルに入る前の明るさしか知らない人と、長く暗い、いつ果てるとも知れないトンネルを通り抜けて味わう、あの明るさを知った人との違いと言ってもいいかも知れません。

依頼心や甘えを捨てた時、力が生まれ、道がひらける。

長く暗いトンネルを抜けた人だけが、抜けた時の喜びや明るさを知ることができる。

人間の自由

幸・不幸は、自分に由《よ》る

人間にとって、どなたかが温かい優しい手を差し伸べてくださった時に、それを素直にありがたくいただくこともたいせつなことです。

しかしながら、いつも他の方が助けてくださると思いこみ、他人の好意をあてにして、それがいただけない時にその方を恨んだりすることは間違いです。

リベラル・アーツ・カレッジという性格を持つノートルダム清心女子大学は、自由人の育成を目指しています。

そしてそれは、読んで字の如《ごと》く、自らに由って自分の人生を生きていく人たちです。

他人に由るのでなく、他人に甘えるのでなく、自分の幸・不幸は、自分に由るという淋《さび》しさとつらさと、そして喜びを持って生きてゆく人たちなのです。

ヴィクトール・E・フランクルという人が人間の自由について、このように書いています。

「人間の自由というのは、諸条件からの自由ではなくて、これら諸条件に対して、自分のあり方を決めていく自由である」

神ならぬ身の私たちは、いろいろな条件のもとでしか生きていくことができません。中には、生まれつき逃れることのできない条件を身に負って生まれていらした方たちもあります。

人は誰もが、周囲の人やさまざまな環境という条件のもとで生きていかざるを得ないし、病気とか災難といった思わぬ条件に出遭《であ》うこともあるでしょう。

それらの条件と闘って、排除していくこともたいせつです。

しかしながら、それができない時、それらの条件に対して自分がいかにあるか、それらをどのように受けとめていくか——ということが、自由人であることの証《あかし》になります。

自由人とは、
自分の幸せも不幸せも
自分の心で決められる人。

与えられた条件をどう受けとめ、
自分はどうありたいか、それを決める自由がある。

卒業式の告辞

社会に歩みだすあなたへ

先ほどお受け取りになった卒業証書の中に、小さなカードが入っていて、祈りが書かれています。

「主よ、変えられないものを受《う》け容《い》れる心の静けさと、変えられるものを変える勇気と、その両者を見分ける英知を我に与え給《たま》え」

変えられない条件を変えようとしてあがき苦しむのでなく、努力すれば変えられる条件を変えないがゆえに苦しむのでなく、変えられないものを受け容れる心の静けさを心の中に養い、変えられるものは勇気を出して、変えていってください。

これが、学生の甘えを捨てて、きびしい条件のもとで生きるあなた方が、たいせつにしなければならない心の姿勢なのです。

甘えが起きてきた時に、そして、これは自分の甘えではなかろうかと気づいた時に、どうぞこの小さな祈りを唱えて、今、自分が何を必要とするのか、「受け容れる心の静けさ」なのか、「立ち向かう勇気」なのか、それを見極める英知を得られるよう、謙虚に頭《こうべ》を垂れて祈ってください。

毎年の卒業生を送るように、あなた方にも、「さようなら」と言わないで、「いっていらっしゃい」という言葉で一人ひとりを送り出します。

嵐の吹きすさぶ、そして時には真っ暗闇になる、その世の中に「いっていらっしゃい」。一緒についていってあげたい気持ちを押さえて、懐中電灯も渡さずに、あなた方を送り出します。

なぜなら、今までの四年間に、あなた方は先生方から、いかに正しく判断し、物事をよりよく選択するかをわきまえた一人格としての生き方を、すでにお習いになったからです。

そして、このノートルダム清心女子大学に四年間学んだということは、あなた方の一人ひとりが、その能力の如何《いかん》にかかわらず、その存在においてすでに、神様に深く愛されているということ、その「ごたいせつな」自分を愛して生きること、自分の価値に目覚めること、そして他の方もごたいせつに、他の方の価値も高めて生きることをお習いになったはずだからです。

世の中のすべての人から見放されたように思う時も、決して自分で自分を見捨てることがない人でいてください。

私たちの創立者マザー・ジュリーは、どんな苦しい時も、つまりどんな悪条件のもとに置かれた時も、「よき神のいかによきことよ」という言葉とほほえみを忘れない方でした。真の自由人でした。

このマザーの娘たちであるあなた方は、これから学生の甘えの通用しない人生に、決してほほえみを忘れることなく、諸条件の一つひとつにしっかりと立ち向かって、自由人としての歩みを続けていってください。

四季折々に美しい花を咲かせるこの大学、100NDの窓から見えるいちょうが、秋になると黄金色に色づくこのなつかしい大学は、「いっていらっしゃい」と言ってあなた方を送り出したからには、いつでも、「ただいま」と言って戻っていらっしゃるのを待っていることをお約束して、今日の私の告辞といたします。

自分を愛し、自分の価値に目覚め、他の人もたいせつに。

きびしい社会に出ていく卒業生たち。どんな時も自分を見捨てることなく、ほほえみを忘れないで。

第2章
求めたものが与えられなくても

人生

挫折のすすめ

毎年四月に入学してくる学生たちの中には、この大学を第一志望としていなかった人も何人か必ずいて、私は「仕方なく入って来た」とわかる学生たちの顔を見ながら考えます。

人生は、いつもいつも第一志望ばかり叶《かな》えられるものではありません。そして必ずしも、第一志望の道を歩むことだけが、自分にとって最良と言えないことだってあるのです。

これは、私自身が今まで何回か、第二志望を余儀なくされて思うことです。

まず、小学校。どういうものか私は、幼稚園に行かせてもらえず、お手伝いさんによって育てられました。多分、当時四、五年の間に、北海道―東京―台湾―東京とめまぐるしく変わった父の転勤のためだったのかも知れません。かくて、学習院の小学部を受験した私は、幼稚園に通っていたなら、きっと答えられたようなことが答えられず、見事に不合格となりました。

人生で味わった最初の挫折です。そして成蹊《せいけい》小学校に入学。雙葉《ふたば》高等女学校を無事卒業して、当時女性に開かれていた唯一の高等教育の場である専門学校を受ける段となりました。

私立の学校ばかり歩いて来た私は、国立に憧《あこが》れてお茶の水女子大学を受け、見事、不合格。補欠の二番ですと言われ、プライドをいたく傷つけられたまま、聖心女子専門学校（現・聖心女子大学）に入学したのです。

そして、挫折のきわめつきは、修道会入会。これは、永年想《おも》っていた恋人にふられたようなものでした。

他にもいくつかの修道会とかかわっていながら、私の心はいつも女学校時代を過ごした雙葉にあって、修道会に入るならサンモール会（雙葉を経営する修道会、現・幼きイエス会）と決めていたし、そのためにフランス語も習い、フランスに旅した時は、修道会の母院に一カ月半も滞在させてもらったほどの思い入れようでした。

修道会の方でも、家庭の事情で入会の遅れている私を気長に待っていてくださると、自分では考えていたからです。

ところが、世の中、何が起こるかわからないものです。いよいよ時節到来、修道院に入る自由が与えられた時に、それまで、私の家庭事情も理解し、かわいがってくださっていたフランス人管区長の任期が終わり、日本人のシスターが管区長におなりになりました。一面識もない方です。

そして私は、その方に、見事に入会を断られてしまったのです。かくて、洗礼を雙葉のチャペルで受けてから十一年間、想いに想っていた「恋人」から捨てられたのでした。

お断りになる側にはそれなりの理由があって、その当時、二十九歳といえば、入会のギリギリの年齢であり、それも、慎《つつ》ましやかな生活を送っていた者ならともかく、修道生活を希望する真意を疑われても仕方がないような派手な生活をしていたこともありました。

「あなたより早く修道院に入っている、ずっと年若い人の命令に従うことができますか。どんなことにも従えますか。たとえば、ほうきで掃《は》いた後、ハタキをかけなさいと言われて、それができますか」と尋ねられ、「修道院に入ろうと望む人なら、口紅などつけていないはずです。ピンクや赤のセーターは派手すぎます」と言われて、とても悲しかったことを今も覚えています。

それは私にとって、さほどたいせつなことと思えなかったからです。

私も、好きで修道会入りを延期していたのではなく、一つには、すでに年老いて、苦労の多い一生を過ごしてきた母の傍《そば》にできるだけ長くいてやりたかったことと、一つには、生意気なようですが、終戦後、医学部に入学した兄の卒業と結婚式を無事に済ませてから、自分の心に決めた道へ行かせてもらおうという気持ちがあったためです。

それだけに、初対面で「年を取りすぎています」と言われ、難色を示された時はショックでした。

「ああ、結構です。それならそれで、別のところを探します」

生来勝気な私は、頭を下げてまで入れてもらおうと思わず、十一年にわたる「恋」に潔《いさぎよ》く終止符を打って、ある人のすすめで、まったく見も知らないノートルダム修道女会の門を叩《たた》いたのです。

第一志望ばかりが
自分にとって
最良とは限らない。

挫折したからこそ出会えるものがある。
挫折は自分をきたえ、きっと成長させてくれる。

つまずき

失ったものではなく得たものに目を向けて生きよう

一つひとつの挫折をふり返り、私は学習院でなくて成蹊でよかった、お茶の水でなくて聖心でよかった、サンモールでなくてノートルダムに入れていただいてありがたかった、と負け惜しみでなく、しみじみ思います。

ある時、学生たちに「人間というものは、失ったものに目を向けず、得たものに目を向けて生きないとダメ」と話した時、学生の一人が「シスター、今日の話は、すごく真に迫っていた」と言いましたが、それもそのはずなのです。

もちろん、第一志望が叶えられたら、おめでたいことだし、良いことです。

しかしながら、挫折を経験することは人生にとっては非常にたいせつなことであって、その時にはそれなりに、しっかり苦しんだらいい。ただ、それに打ちのめされることなく、それだけが自分を生かす唯一の道ではないのかも知れないと考えるゆとりがほしいものです。

所詮《しょせん》、人間が見通せることには限りがあって、長い目で見ると、案外、物事は異なる評価を持つものですから。

「神の思いは、人の思いにあらず」という聖書の言葉が、本当にそうだと思えるようになるためには、いくつかの挫折を経験し、そこから、自分の「思い」の浅はかさに気づくことが、どうしても必要なようです。

謙虚さ（Humility）は、はずかしめ（Humiliation）を受けずには得られないと習ったことがありますが、そういうことなのかも知れません。

挫折のない人生はない。挫折は自分を考え直すチャンスなのだ。

人間が見通せることには限りがある。長い目で見ると、挫折したおかげで、と思えることも少なくない。

思いこみ

「あなたは何さまなの？」

「金貨と幸せには尻尾《しっぽ》がない」という西洋の諺《ことわざ》があるように、幸せというものは、つかまえておけない、いつかスルリと逃げてしまうようなものです。
人間が人間であるための一つの条件は、実は「いつも幸せであり得ない」ということ、「その生活の中には必ず幾分《いくぶん》か不幸せのかげが落とされている」ということではないでしょうか。

私の母は八十七歳で世を去りましたが、生前、その母からよく「あなたは何さまなの？」と言われた記憶があります。あなたは自分を何者だと思っているのかという「たしなめ」の言葉であって、多くの場合、物事が思わしくいかなくてプリプリしたり、イライラしている時に言われたものでした。

世の中が自分の思い通りに運ぶことなどあり得ない、うまくいかなくて当たり前、うまくいったらありがたいと思いなさい、ということも耳にタコができるほど聞かされて育った私は、幸せ者だと思っています。それだけ、無駄な苦しみから解放されているからです。

世の中、「かくかく、しかじかあるべきだ」という思いこみをたくさん持てば持つだけ、不自由になります。

たとえば、

「家族は私に優しくあるべきだ」

「あの人は私の立場を理解するはずだ」
「私は、当然感謝されるべきだ」

等々。思いこみが多いと、事実がそれにそぐわない時、苦しみも多くなるものです。

「優しくしてくれるに、こしたことはない」
「理解してくれたら、もうけもの」
「感謝されたら、ありがたい」

くらいに考えておくと、心が自由になるから不思議です。

それは結局、思いこみというのは、その実現において他人に依存する部分が多いからでしょう。

世の中は
うまくいかなくて当たり前。
うまくいったら感謝しよう。

思いこみをやめたら、心は自由になる。

心の自由

人間には問題をどうとらえるかを選ぶ自由がある

「感謝されるに値することをしたのだから、感謝されて当然」と、相手の恩知らずを強調したくなることがあります。

私も経験がないわけではありません。

しかし、人間の自由というものは、そう考えてもいいし、そう考えなくてもいい自由なのではないでしょうか。

あくまで自分の思いこみを守って不幸せになる自由もあれば、「感謝されたらありがたい」という気持ちを持つ自由もあるということです。

「でも、損する」と言うかも知れません。私も、そう思うことがあります。そこで考えるのは、感謝されるべきなのにされない時の「損」の性質と、そのために自分の心が乱され続けることの「損」の性質との比較です。

私の場合、まず、前者の損もしっかり受けとめる。憤《いきどお》りも口惜しさも、一応味わう。その後に、「こんなことで今日一日、いやな思いをさせられてはたまったものではない」と視点を変え、「感謝されるにこしたことはないけれど、されなかったからといって、どうということはない」と思い直すのです。

自分をだましているのかも知れません。ずるい、消極的と言われるかも知れません。

でも、世の中は決して自分の思い通りになるものではないし、いつまでもそのことなり、人にこだわっているよりも、それから自分を解放することの方が、精神衛生の上で、どれほどよいかわかりません。

この世の中には、決して妥協したり、譲ったりしてはいけない、いくつかの信条があっていいし、なくてはならないものです。

学生たちには、感謝の言葉を忘れないように、他人に優しくと、しっかり教えたいと思います。しかし、だからといって、自分たちがいつも感謝され、優しくされると思ったら大間違いだということも教えたいと思っています。

幸せ、心の自由は、自分のものの見方にかかっていることが多い。

こだわらなくてもいいことにこだわるよりも、そこから自分を解放する方がどれほどよいか。

心の自由

不条理を受け入れる

思いこみを少なくするということは、決して「いい加減になれ」ということではありません。

無駄なエネルギーを消費しないということであって、無気力になるということではなく、非生産的なエネルギーをより少なくするということです。

無礼を無礼と感じる心、理解されない苦しみ、傷つけられた心の痛み、いわゆる世間の「不条理」といったものをしっかり受けとめながら、しかもそれを「人間の条件」として受け入れていくということなのです。

端数《はすう》の出ない人生なんてあり得ません。そしてこの「割り切れなさ」に耐えてゆくことが、人間一人ひとりの人知れない心の傷、重荷となっていることに気づいていたいと思います。

古来、苦しみ、試練のシンボルとして「十字架」という言葉が使われてきました。外面的にはわからなくても、人はそれぞれ、他人がうかがい知ることのできない十字架を担《にな》って生きています。こんな話があります。

ある人が、自分に負わされた十字架の重みに耐えかねて、神に願いました。「もっと軽いのに替えてください」。大小さまざまな十字架が林立している部屋に案内された彼は、その中から、大きさも重さも気に入ったものを選び出し、神の前に出ました。「これなら一生負ってゆけそうです」。そして気づいたのです。それは最前、自分が肩から外した十字架であったということに。

「何さま」でもない人間が、人智《じんち》を絞《しぼ》ったところで、選びとる幸せ、不幸せと

いうものには自《おの》ずと限りがあるのでしょう。九条武子《くじょうたけこ》の歌に、

抱《いだ》かれて　ありとも知らず　おろかにも
われ反抗す　大いなるみ手に

というのがありますが、私たちの日々の営《いとな》みというのは、この「大いなるみ手」への反抗の営みであることが多いものです。

抱かれてあると知って、いっさい反抗しないことが、神仏への信頼の表われかも知れませんが、抱かれてあると知りながら、時に謀反《むほん》を起こすこと、抱かれていることを時折忘れて、あらがう人間の姿もあっていい。ただ、反抗しても詮《せん》ないとわかった時、無益の抵抗をやめて、潔く「白旗」をかかげること、それが人間の「分際《ぶんざい》」をわきまえて生きるということではないでしょうか。

どんな人も
人知れない苦しみを
背負って生きている。

割り切れない思いを自分なりに受けとめて、
素直に前向きに生きよう。

醒《さ》めた目と温かい心

人生は思い通りにならないのが当たり前

一人の前途有望な学生が自殺して、その遺書には「思うままにならない人生に嫌気がさした。人生そのものがわからなくなった」といった内容が書かれていたそうです。

悲しみに沈んだ友人数名は、自分たちが常日頃尊敬する老教授のもとへ急ぎました。ともに死を悼《いた》み、慰《なぐさ》めてくれると思ったからです。

遺書の内容に静かに耳を傾けた後、その教授は、案に相違して、語気も鋭《するど》く言いました。

「そのような考えで死ぬなど、思い上がりもはなはだしい。人生とは、人が生きると書く。私のように六十年以上も生きていて、なお人生はわかっていないのに、たかだか二十年しか生きていない者に、わかってたまるか。
また、人生は思うままにならないのが当たり前であり、それ故にありがたいのだ。人の思いというものの中には、良いものもあるが、よこしまなものもたくさんある。それがもし、人の思いのままになるとしたら、我々は安心して生きていられまい。思うままにならないからこそ、安心して暮らすことができ、また、より大いなる者への随順《ずいじゅん》の気持ちも起きようというものだ」

この教授の言葉は、決して死者に鞭打《むちう》つつもりで言われたものではなく、生者に、つまり、そのわからない、思うにまかせない人生を、今後も生き続けてゆかねばならない若者たちに向けて言われたのでした。

「あんなやつ、死んでしまえ」という思いが、そのまま実現するとしたら、誰も安心して生きていることはできません。

かくて、人生が思うままにならないということは、考えようによってはありがたいことなのです。

一人の人間が個性的に生きる、その人らしく生きるということは、実は、このようなままならない人生を、自分なりに受けとめることで可能となるのではないでしょうか。

人生は、思い通りにならないからこそ、安心して生きられるのだ。

不条理をどう受けとめて生きるかに、その人らしさが表れる。それこそが個性。

第3章
自分を見捨てない

友情のきびしさ

相手をより自由にするのが本当の愛

ある日のことです。一人の学生が来て、自分が不用意に言ったことが友人を傷つけてしまい、いくら謝っても許してもらえないのだと涙を流すのです。

事のてん末を聞いた後に、

「そんなに訳のわからない友だちとは、この際、縁を切ってしまったら」

とアドバイスしたところ、淋《さび》しそうな後ろ姿を見せて帰っていきました。

一カ月もしないうちに再び現れたその学生は、

「先生、やはり別れました。別れてよかったと思います。以前と比べて自由になれました」

と礼を言うのでした。

愛（友情もその一つの表われですが）は、決して相手を不自由にするものではありません。愛とは、相手をより自由にするものでこそあれ、縛り、殺すようなものであってはならないのです。

自分の気に障《さわ》るような言葉を言わない限りとか、他の人と仲良くしない限りといった自己中心的、排他的な条件のもとの友人関係は、結局、相手を自分の意のままにしたいとする所有主と所有物との関係ではあっても、対等の人格同士の交わりとは言えません。

武者小路実篤《むしゃのこうじさねあつ》さんの言葉でしたか、「君は君　我は我なり　されど仲よき」というのがあったように記憶しています。

友情にせよ、親子、夫婦、恋人間の愛情にせよ、一人の人間が他のもう一人を所有し支配するということは、大それた所業と言っていいでしょう。

たしかに愛情の一時期においては、相手に支配され、所有され、束縛されることをむしろ喜びとし、それに酔うこともあります。

このような立場が保証してくれる安定性を快《こころよ》く感じる時もあるでしょう。

しかしながら、それは本来、自由であり、自分独自の世界に生きるべき人間のあり方とは言えません。

そして人が本来の姿、その主体性を喪失して生きる時、そこには真の幸せ、永続的な喜びはあり得ないのです。

所有の関係から自立の関係になった時、愛は成長する。

人は物ではないのだから、所有したり支配したりすることはできない。それでは本当の愛は続かない。

ありのまま

受け入れがたい自分を受け入れる

あまりきれいな話ではありませんが、自分の唾液《だえき》を小皿に受けて、それを飲み直すというのは、決して気持ちのよいことではありません。ふだん何とも思わずに飲みこんでいるものなのに、いざ、あらたまって喉《のど》を通すとなると嫌悪《けんお》感《かん》を抱《いだ》くもので、不思議なことです。

血液についても同様。指先を針で突いてしまった時など、何のためらいもなく吸っているのに、試験管にとり出した血を、たとえ少量でも吸うのには抵抗があります。

正真正銘《しょうしんしょうめい》自分のもの、しかも生命《いのち》にかかわるたいせつな血でありながら、何となく薄気味悪く感じ、グロテスクなものに思えるのはなぜでしょう。

白日《はくじつ》のもとに晒《さら》された自分、または自分の部分というものは、時に見つめ難《がた》いものを持っているということかも知れません。

自分でさえ正視しがたいもの、受け入れがたいものを、他人に見られるのはつらいことです。心の中の恥ずかしい思い、わだかまり等が体内におさまっている間は、それでも許容できるのに、一旦《いったん》外へ出てしまうと、自分でも受け入れられず、ましてや他人の目からは必死になって隠そうとします。

他人に隠さねばならない部分が多ければ多いだけ、また、隠す相手が多ければ多いほど、生活は不自由になります。大らかに生きることができなくなるわけです。

見られては困るものが部屋にある場合、施錠《せじょう》しなければならないように、私たちのパーソナリティにも鍵《かぎ》がしっかりとかけられてしまうことがあります。

それでも安心できず、絶えず他人の動静に注意し、ノックの音が聞こえようものなら、あわてて、「見せてはならないもの」を押し入れに隠してしまう。話をしていても、心は押し入れにあり、見破られはしないかと思うその心に平安は宿り得ません。

私たちの心には、自分でも見つめたくない、ましてや他人には絶対に見られたり、知られたりしたくない「みにくいもの」があります。

しかし、いくら隠したところで、それがあることに変わりはありません。

この「ありのままの自分」——嫉妬《しっと》もすれば、憎しみの心も抱く。知らないことも多ければ、間違うこともある——をひた隠しに隠して、「きれいな自分」に見せようとするところに無理が生じます。

ボロを見せまいと、十重二十重《とえはたえ》に垣をめぐらすところに、防御規制が生まれる。不自由さの原因です。

「きれいな自分」を保つためについやされるエネルギーは、莫大《ばくだい》なものです。

それは、よそ行きの着物をいつも着ているようなものであり、他人のために生きているような生活――いかに見られるか――であって、ふだん着の生活、自由な「自分」の生活ではあり得ません。

「ありのままの自分」を認めれば、人は自由になれる。

人に見られたくないものを隠して装《よそお》えば、心は乱れ、生活も不自由になる。

自分の価値

劣等感のかたまり

ギリシャのデルフィの神殿に「汝《なんじ》、己れを知れ」と、書かれてあったそうです。

自分がどういう人間であるかということは、幼児の時から、どういう子どもかと言葉や態度で語りかけた大人からの評価が大きく影響しているものです。

「ダメな子」と言われて育った子ども、「何をやらせてもお兄さんに劣る」と絶えず比較されて大きくなった子どもの自画像から、劣等感を拭《ぬぐ》い去ることはできません。

このような「思いこみ」は、成長していく過程の経験、または体験によって是正《ぜせい》されてゆくことがあります。

ダメでない自分を発見し、他人に必ずしも劣っていない自分に気づいて、それまで誤って描いていた自画像は、より現実的なものへと変わっていきます。

かくて人間の一生は、自己発見の旅なのです。

発見した自分は、必ずしもいつも快《こころよ》いものばかりではありません。自己嫌悪の対象となる要素をいっぱい抱《かか》えこんでいるからです。

ある時、一人の学生から手紙を受けとりました。三枚のレターペーパーにぎっしり書かれた内容は、まず「先生に手紙を書く価値もない自分」という自己紹介にはじまり、その後に「魅力のない女」「ダメな人間」「器《うつわ》が小さい」「臆《おく》病《びょう》」「浅い人間」「ずるい性質」という自己評価。

そして決定的な言葉――「生きていても仕方がないと思うようになりまし

た」で終わっていました。

これらの自己に対する表現は、他人とのかかわり合いの中で発見したことかも知れないし、単なる思いこみなのかも知れません。

いずれにしても、この学生は、この手紙を書いた時点で幸せではなかったでしょう。自分に失望し、自分を受け入れることができず、自分が本来持っているかけがえのない価値にまだ目覚めていなかったからです。

劣等感は誰しもが持つものです。しかしながら、劣等感のかたまりのような人は決して美しくありません。

なぜなら、人は、「自分」のかけがえのない価値にめざめて、生き生きと自分の生活をしている時にのみ美しいからです。

そして、人間は誰しも、美しく、その人本来の姿で生きる権利と義務を持っているのです。

人間の一生は、自己を発見していく旅。

誰かに何か言われても、自分にも良いところがあると気づけば、人は美しく輝きだす。

愛に
生かされて

自分の花を咲かせなさい

他人にどう見られているか、他人からどう評価されているかは、いつも気になることです。ほめられればうれしいし、けなされれば哀《かな》しい。嫌われれば悲観し、好かれていれば心は安らかです。尊敬されれば生きる勇気が与えられ、反対に軽蔑《けいべつ》されたり、無視されれば、生きる自信まで失ってしまう。それが人間なのです。

しかし、他人の評価とは別に、「自分」が存在することも忘れてはなりません。

他人の評価には、たしかに的確なものもあり、それに謙虚に耳を傾けることも重要です。

しかし、他人の評価がすべてではないことも知るべきです。他人も不完全な人間だからです。

人見るもよし
人見ざるもよし
我は咲くなり

（武者小路実篤）

何はともあれ、「咲く」ことがたいせつです。それは、他人の評価を受けとめる主体性の問題と言ってもいいでしょう。

ほめられればありがたく受けとめ、悪く言われれば、それをも受けとめてゆく。しかし、いつも心の底には、他人の毀誉褒貶《きよほうへん》にかかわりなく存在する「自分」を温かく、しかも冷静に見つめる姿勢がなければなりません。

そして、自分だけが咲かせられる花を一番美しく咲かせていこう、という決意と努力がたいせつです。

花が咲くために太陽、空気、水等が必要なように、人間が「咲く」ためには「愛」が必要です。

それは、自分の自分に対する愛であり、他人の愛であり、さらに神、仏のみが持ちうる無条件の愛なのです。

自分の花を咲かせましょう。

他人の目や評価に振り回されることなく、
自分の花を一所懸命に美しく咲かせよう。

愛の本質

愛する力を育てるために

女子学生たちと五十年以上接していて気がつくことは、この年頃の人たちの多くが、愛に必要なのは、すばらしい対象に出会うことだと考えていることです。

それも決して間違いではないのですが、その対象が「すばらしさ」を失った時にも、果たして愛し続けることができるかどうか、ここに「愛の本質」が問われています。

健康だった相手が病気になってしまった時も、前途を嘱望《しょくぼう》されていた相手が挫折にあった時にも、その人を愛し続けることができるかどうかは、私たちが自分の中に、「愛する力」を養い育てているかどうかに、かかっているのです。

エーリッヒ・フロムが『愛するということ』という本の中で、「愛するということは、単なる熱情ではない。それは一つの決意であり、判断であり、約束である」ときびしい言葉を述べているのも、この愛の本質を指摘したものと言えるでしょう。

ふだんからピアノの練習もせずに、立派なピアノを見つけさえすれば、上手に弾《ひ》けると思ったり、絵を描く練習もせずに、ひたすら美しい景色を探している人にも似て、ふだんから「愛する」練習をしないで、すてきな人との出会いを待っていていては、いけないのです。

愛する力を育てるためには、まず私たちが毎日の生活の中で「当たり前」と考えていることや、人、物を「有り難い」と、感謝の気持ちで受けとめることがたいせつです。

マイナスの価値しかないと思えることや、不幸、災難、苦しみにさえも意味を見出《みいだ》して、これまた「有り難い」と感謝できる時、私たちは愛すべきものを随所《ずいしょ》に持ち、愛し難い人さえも、その人の存在そのものの価値を認める、愛深く幸せな人間になれるのです。

愛するということは、一つの決意、判断、約束を必要とする。

単なる熱情で結ばれたとして、二人に試練が訪れた時、愛し続けることができるだろうか。

第4章
輝いて生きる秘訣《ひけつ》

大学の目的

大学とは何をするところ？

ある全国紙が、大学生を持つ父母に対して、「大学生をどう思うか」というアンケートをとったことがあります。

受験地獄を通り、今や多額の学費負担をかけている我が子の学習態度について、「まじめに勉強していると思うか」という問いには、次のような答えが寄せられました。

「非常にまじめにしている」は、わずか〇・四％。「まあまじめにしている」二一・一％。「あまりまじめにしていない」六三・二％。「まったくまじめにしていない」八・五％。「わからない、無回答」六・八％。

「最近の大学生の成長具合」について尋ねたのに対しては、「年齢の割に考え方が未熟」六二・八％。「年相応の考え方を持っている」一六・六％。「年齢の割にしっかりしている」四・五％でした。

自由回答欄には、「知識があっても応用がきかない。その割に口だけは達者」「一般常識に欠け、自分の意見、要求だけは言う」と、これまた手きびしい批判がありました。

実はこれは二十年も前の統計なのですが、事態は今も、あまり変わっていないことに驚きます。

私が大学に専任として勤めていた頃も、休講を知らせる掲示板の前で大喜びしている学生たちの姿に悲しい思いをしたものでした。

私が後ろを歩いているとは知らず、「大学に来てまで勉強することないよね」という学生たちの会話に唖然《あぜん》としたことがあります。

大学にとって第一の、そして最も重要な目的は、そこに学ぶ一人ひとりの知性の練磨にあることは言うまでもありません。

大学は何となく四年間を過ごして学士号を取得するところでもなければ、就職するための便宜的な居場所でもないのです。

大学は、そこにいたるまでの受験勉強、覚えることに重点が置かれた勉強と異なり、考えることが重視される場でなければなりません。

人生について、愛について、自由について、自分が生きている意味について考え、生きる目標を模索するための恵まれた四年間なのです。

ニーチェが「なぜ生きるのか、why to live を知る者は、ほとんどすべてのいかに生きるか、how to live に耐えることができる」と言ったように、生きる目的を知り、おのれのかけがえのない価値に自信を持つことができれば、人生において遭遇する多くの困難を生き抜くことができるのです。

大学は、学生たちの社会的、経済的自立とともに、その人格的自立を促《うなが》し、助ける場でなければなりません。

社会のただ中にある大学で、学生たちは、さまざまな社会現象が持つ意味を、自分が納得できる形で理解してゆくことを学ぶのです。

社会の現状を肯定するにせよ、変革を願うにせよ、それなりの理由を持ち、ふさわしい手段を知ること。

「そうかも知れないが、そうでないかも知れない」と、自ら考え、疑問を持ち、批判する力を養う道場なのです。

大学は、何をするところかを考えないといけない。

大学の重要な目的は、そこに学ぶ一人ひとりが知性を磨き、生きる目標を模索すること。

心をこめる

雑用に祈りをこめて

「あなたは、食堂でお皿を並べながら、何を考えていますか」

指導にあたってくださっている年輩のアメリカ人に問われ、

「別に、何も」

と答えながら、心の中で赤面するのでした。

修道院に入るまでの生活は、オフィスでのいわゆる手を汚さない仕事であり、男性と肩を並べて働き、自分の処理したことがそのまま大きな目的につながるというやりがいのある仕事でした。

覚悟して修道院に入ったものの、アメリカ東部、ウォルサムにある大きな修練院での一日の大半は、掃除、洗濯、アイロンかけ、つくろいものといった「雑用」についやされ、「世間の生活と違っていて当たり前なのだ」と自分に言いきかせながらも、心の中には、つまらない仕事に明け暮れする毎日へのあせりがありました。

百人以上の修練女と呼ばれる人たちが日に三度食事する食堂では、あらかじめ皿が並べられて、入って来てすぐ席につくことができるように準備されるならわしでした。

質素な食事の準備とはいえ、大皿をひとわたり置いてから、その上にスープ皿をのせ、その側にナイフ、フォーク、スプーンを百人以上のためにセットしてまわるということは、一つの大きな仕事となり、動作はつい機械的になってしまいます。

「一つひとつ、音をさせないように、静かに置いてごらんなさい。さらに、そこに座る人が幸せになるようにと、心をこめて置いてごらんなさい」

ただ一人の日本人修練女ということで、何かと気にかけてくれるその人は、そう言いおいて自分の仕事へと去っていきました。

皿をテーブルに置き、フォークを並べるという単純な作業には、やりがいもなければ、むくいもありません。

しかし、そういう時には、やりがいのあるものにしていかないといけないのだということを、その日、私は学んだのです。

興味のわかない単調な作業をやりがいのある仕事に変える秘訣がある。

世の中につまらない仕事や雑用はない。
人間が用を雑にしている時、それは生まれる。

自分との闘い

自分を美しくきたえる

今や、礼儀を、古いとか、形だけのものとして蔑視《べっし》する傾向があります。

「何の得にもならない」と、利益に換算する人もいれば、「こんな忙しい世の中、礼儀などに構っていられない」と言う人もいます。

中には、無礼であることが、むしろ現代的だと錯覚している人もいます。

そして、多くの若い人は、礼儀を教えられずに育っていますが、それは彼らにとって大きな損失です。

なぜなら、「美しさ」というものが、永遠に変わらない、そして人々が追い求める一つの価値だとすれば、その美しさを創るもの、生み出すものは、礼儀という名のもとに実行される、小さいことの積み重ねだからです。

それは、なぜそうするのかと問われても答えられないような「きまり」を、来る日も来る日も、繰り返して自分に課していった結果、いつしか生まれてくるものなのです。

幼い時、母は私たちに向かって「膝《ひざ》を揃《そろ》えなさい。膝と膝の間を開けて座るものではありません。宮様方は、何時間でもそうしていらっしゃいます」と言ったものでした。

宮様ではあるまいし、と心の中で反撥《はんぱつ》しながら、渋々膝小僧を揃えたものです。

「家の習いが外に出る」という信念のもとに、母は、家の中だから行儀を悪くしていいということを許しませんでした。

食べ物を口に入れたまま話したり、歩いたりすることはもちろん禁じられ、食後すぐ寝そべることは「牛になる」ことであったし、床《とこ》の間《ま》に足であがること、敷居や畳のへりをふむことは「足が曲がります」という極めて非科学的な理由で禁じられていました。

ふすまや障子《しょうじ》をきっちり閉めない時にも、叱言《こごと》は容赦なく飛んで来たものです。

「でも、よそのおうちでは」と言おうものなら、「よそはよそ、うちはうちです」と言われるのが落ちでした。

今になって思えば、これらの「理由なきしつけ」は、結局、自分との闘いであり、自分をきたえる手だてだったのです。

「美しさ」は、修行を必要とする。

「美しさ」というものは、礼儀という小さな「きまり」ごとの積み重ね。自分との闘いの所産。

生活の知恵

「美しさ」を保つ秘訣

「面倒だ」と思った瞬間、「だから、しない」のでなく、「だから、する」こと。他人様《ひとさま》が入っていらしたら、立つ。他人様とお話しする時はマフラー、手袋を外《はず》し、コートも脱ぐ。ポケットから手を出す。

これらのことを、気の向く時、気の向く相手にだけするのではなく、自分のあり方として守ってゆく時、それはいつしかさまになり「美しさ」へと変わってゆくものです。

よく新聞などに、コツとでもいうものが書かれていることがあります。

「こうすると、案外、むずかしいと思われていたものが、やさしくできますよ」といった、生活の知恵的なものです。

先日、そういう欄を見ていて、心を打たれたことがあります。

それは、とかく汚れやすい洗面台のあたりを、絶えずきれいに保つにはどうしたらよいかということが書かれてありました。

「使った後、こまめに拭《ふ》くことです」という回答に、私はいたく感心してしまいました。こういうことがコツとして書かれている。

今や面倒なことをせずともインスタントできれいになる、といった特効薬的なものが幅を利《き》かせている時代に、「何でもないこと」がたいせつにされていることが、とても新鮮に思えたのです。

心も、こまめに拭いていたら、きっときれいになるだろう。そんなことを考えてしまいました。

「面倒」だから、する！

「何でもないこと」をおろそかにせず、
続けていくことをたいせつに。

第5章
愛ある人になる

ボランティア

「させていただく」

養護老人ホームにボランティアに行って帰ってきた学生たちの報告を聞きながら、気になる言葉があるのに気づきました。

お年寄りに対して、「本を読んであげました」「肩を叩《たた》いてあげました」と言うのです。

ボランティアというものは、本来「させていただく」ものだと、私は思っています。たしかに無報酬であり、任意の仕事であるわけですから、「してあげた」という表現を使っても構わないようなものですが、何かそれは、ボランティアの真の精神ではないように思えるのです。

一人の若い母親が、幼稚園のお母さまたちと一緒に、ある重度障害児の施設にオムツをたたみに行った時の感想を次のように記しています。

「天井まで積まれたオムツの山を初めて見た時、私は忘れていたいろんなことを思い出したような気がした。

見も知らない人たちが泣いたり笑ったりしながら、自分と同じように生きていること。遠い国の悲惨な飢餓や虚《むな》しい戦いのこと。

白いオムツをたたみながら、私は何となくうれしかった。この世界で私たちは、お互いがお互いを必要としていることに気づいたからだ」

ふだんは自分のこと、家族のことしか考えずに過ごしていたこの母親は、ボランティアの仕事を通して、人間が互いに支え合って生きることの喜びを「教えていただいた」のでした。

それはあたかも、足りないところにピースをはめ込むジグソーパズルのように、一つの美しい世界を完成するために必要な作業であることに気づいたのです。

忙しさにとりまぎれて、ともすると忘れがちな、この当然のこと、人間のあるべき姿を思い出させてくれるボランティアは、かくて「させていただく」ものなのです。

ボランティアは
させていただくもの。

他者のために働くことで、人は互いに支え合いながら
生きているということ、そしてその喜びを知ろう。

価値観

お金で買えないもの

英国のエリザベス女王が、かつてインドを訪問した際、マザー・テレサの仕事を見学した後に呟《つぶや》いたと言います。

「百万ポンドやると言われても、私にはできない」

すると、マザーがすかさず答えたそうです。

「私にも、できません」

この二人は、「まったく同感」と言っているようで、実は、ずいぶん違った話をしているのではないでしょうか。

女王は、どれほど多額のお金を貰《もら》っても、私にはこのような仕事はできないと嘆息《たんそく》したのに対し、マザーは、お金のためだったら、私にもこのような仕事はできないのだと言っているのです。

マザーのしていた仕事といえば、ハンセン病者、エイズ患者の世話であり、孤児の養育です。

さらに、いわゆる「行き倒れ」の病人たちに手厚い看護を施《ほどこ》し、不遇と失意のうちに過ごした人々の一生を安らかに閉じさせる仕事でもありました。

それらはいずれも、自ら進んでする人の少ない、たいへんな仕事といえるのではないでしょうか。

この世の中には、お金のためなら人をだまし、スリ、強盗はおろか、人殺しも平気でやってのける人たちがいます。

それも、食うや食わずの生活で、必要に迫られての行為かと思えば、さにあらず。ただ、もっとお金が欲しい、ぜいたくしたい、遊びたい一心からのこともあるようです。

昨今の日本には、「お金さえあればできる」ことが多すぎます。

お金は良いものです。私が大学生だった頃、旧軍人の家には現金収入がなく、私は日本育英会の奨学金で学業を続け、さらに家計を助けるためにアルバイトをしていました。

学業とアルバイトに明け暮れた私には、楽しい大学時代、クラブ活動などの思い出はありません。

お金があれば、新しい洋服が買える。歩く代わりにバスに乗れる。お金があれば、母に好きな菓子を買って帰ってやれる。軍人から転向させられて医学部に入り直した兄に、安心して勉強に専念してもらえる。

そんなことを思いながら過ごした大学の年月は、私の一生の中で、お金のないことの哀《かな》しさを、身に沁《し》みて感じさせた日々でした。

それだけに、お金の持つ価値、ありがたさも知っているつもりの私は、冒頭のエピソードに心打たれるものがあったのです。

「マザー・テレサをして、お金抜きに、人の嫌う仕事、報《むく》われることの少ない仕事をさせていた原動力とは、いったい何なのだろう」

お金さえあればできることの多すぎる今の世にあって、「お金で買えないもの」について、もう少し考えてみないといけないのではないでしょうか。

生活の豊かさは、お金の多寡《たか》では計れない。

マザー・テレサのようにはできなくても、お金に代えられない純粋な愛を原動力とした仕事をしているだろうか。

共感

人間関係の秘訣

人間関係を和《なご》やかにするのに、「の」の字の哲学というのがあります。

たとえば、夫が会社から戻ってきて、「ああ今日は疲れた」と言った時に、知らん顔して、その言葉を聞き流したり、「私だって、一日結構忙しかったのよ」と自己主張したのでは、二人の間はうまくゆきません。

その時に、「ああそう、疲れたのか」と、相手の気持ちをそのまま受け入れてあげることがたいせつなのです。

友人が「私、海外旅行に行ってきたの」と言えば、「あら、私もよ」と相手の出鼻をくじいたり、「どこへ、誰と」と尋ねたりする前に、「そう、旅行してきたの、」と、おうむ返しに言葉をそのまま繰り返して、相手に共感することが、相手への真の優しさとなります。

私たちはとかく自分本位になりがちで、共感する前に自己主張をしがちです。相手が感じていることを、そのまま受けとめてあげる前に「私だって」とか、「私なら」と比較してしまいがちになります。

自分が感じたことのない気持ちには共感できないので、そのためには、いろいろと自分も経験することがたいせつになってきます。

ただ、ここで気をつけないといけないのは、同じような経験でも、他人のそれに対する感情と、自分のそれとは同一ではあり得ないという事実です。

子どもを亡くしたことのない人より、その経験をした人の方が、今悲しんでいる人に共感を抱《いだ》きやすいとは思いますが、一人ひとりの経験は独特なものであって、決して同じではありません。

その事実に対しての、「まったく同じ経験はあり得ない」という醒《さ》めた目と、「しかしながら、自分の経験から少しでもわかってあげたい」という温かい心が必要なのです。

「慰《なぐさ》めてくれなくてもいい。ただ、傍《そば》にいてください」と言われたことがあります。

ただ「悲しいの」「苦しいの」と受けとめてくれる人――キリストは、そういう人でした。「の」の字の哲学の元祖だったのです。

醒めた目と
温かい心で
生きてゆきたい。

真の優しさとは、共感すること。自分を抑えて
相手の話を聞き、ただ傍にいてあげること。

ほほえみ

あなたの近くにも「カルカッタ」はある

マザー・テレサが日本にいらした時のことです。私たちの大学にもいらして、待ち構えていた学生たちにお話をしてくださいました。

お話に感動した学生たちの中から、奉仕団を結成したいという声があがり、受け入れについての質問が出ました。マザーはとてもうれし気《げ》に、感謝しながら、こう言われたのです。

「その気持ちはうれしいが、わざわざカルカッタまで来なくてもいい。まず、あなたたちの周辺の『カルカッタ』で喜んで働く人になってください」

それから二年半経《た》った三月中旬、私は広瀬さんという卒業生から手紙を受け取りました。その人は、前年の三月に大学を卒業して、県内のある高校で国語の教師をしていました。自分が教師になって初めて送り出した女子生徒の一人が、卒業式後にこう言ったそうです。

「広瀬先生だけは、私を見捨てないでくれた。ありがとうございました」

そう言い置いて校門を出ていった生徒の後ろ姿を見ながら、広瀬さんは思いました。「私がしたことといえば、授業中に目が合った時、あの子に努めてほほえんだことだけだったかも知れない」と。

その女子生徒は、学業にも家庭にも問題を抱《かか》えていて、他の教師たちには「お荷物」と考えられていたそうです。

他の教師たちから無視されていた生徒に、広瀬という新卒の国語教師は、目を合わせることを恐れず、しかもほほえみかけることによって、その生徒の存在を認め、見捨てなかったのでした。

私が特にうれしかったのは、広瀬さんは、かつてカルカッタへ奉仕に行きたいと申し出た一人だったということでした。

彼女は、マザー・テレサとの約束を守って、自分が教えるクラスの中の「カルカッタ」で立派に働いてくれたのです。

私たちの周辺にも「カルカッタ」があります。それは案外、家族の中で相手にされていない老人かも知れません。学校でいじめられたり、無視されている子どもたち。職場で、社会で、仲間外れにされている人々。生きがいを失って淋《さび》しい思いで生きている人たち。

そのような人たちに、ちょっとした優しい言葉、動作、温かいまなざし、ほほえみを差し出すことを忘れていないでしょうか。

「みんな、自分が一番かわいいのよ」と、私の母は、私が落ちこんでいる時に、慰めとも、いましめともつかない言葉を言ってくれたものです。

だから、淋しい人が生まれるのです。私にだって、淋しい時があります。

そんな時に、ほんの少しの優しさ、ほほえみ、言葉がけで、今まで何度、いやされ、力づけられてきたことでしょう。

私たちは、自分自身も「カルカッタ」にいる時があるのです。ですから、お互いに手を差し伸べることがたいせつなのです。

ほんの少しの優しさ、
温かいまなざし、ほほえみ、
言葉がけが、淋しい人を救う。

世の中を変えるのは、「あなたがたいせつ」という
ほほえみがけや優しい小さな行動かも知れない。

座右の言葉

我以外、皆師なり

勉強は、学校教育を終了した時点で終わるものではなく、一生涯続くもの、また続けなければいけないものと、私は考えています。

机の上の勉強も大事ですが、私たちが生きている間に遭遇する一つひとつのことから、何かを学ぶことができるし、学ばなければもったいないです。

現実に人の間で揉《も》まれ、痛い目にも遭《あ》い、人の優しさにも触れて、私たちは、いわゆる社会勉強をしてゆきます。

四年制大学の学長に任じられた時、私は三十六歳でした。しかし、年齢にはお構いなく、それは、次から次へと決断を下さないといけない立場だったのです。

「シスターは、イエスとノーがはっきりしすぎる。もう少し玉虫色の返答にした方がいい」

と、一人の年長者からアドバイスされ、長い間、アメリカ人のもとで働いていた私は戸惑いました。私にとっては新しい勉強だったのです。

一つの決断に対しては、それに賛成する人もいれば、反対する人もいました。激しい批判にあって、心が萎《な》えそうになっていた時、ある方が笑いながら、「大丈夫ですよ。相手はあなたを殺しはしませんから」と、安心させてくださり、その時以来、私は反対意見にあっても、あまり動じなくなりました。

これも私にとって、良い勉強でした。

思いがけない病気にかかって意気消沈していた時、「運命は冷たいけれども、摂理《せつり》は温かいですよ」という言葉に救われました。

病気をも摂理と受けとめた時、それはありがたい「勉強の機会」となり、自分に起こるすべてを、運命としてでなく、神の計らい、摂理として見て生きるという、お金では決して買えない勉強を私はしたのです。

宮本武蔵《むさし》が、「我以外、皆師なり」と言っています。

私も、この言葉を座右の銘として、やわらかい心を持ち、謙虚な心を忘れずに、一生涯、勉強し続けたいと思っています。

自分に起こるすべてを恵みとして生きる。

日々遭遇することが、どんなに思いがけないことであっても、
それは新しいことを学ぶチャンス。

装丁……石間　淳
イラスト……山口みれい

【出典一覧】

「ノートルダム清心女子大学 Bulletin」
『美しい人に』（ＰＨＰ研究所）
『信じる「愛」を持っていますか』（ＰＨＰ研究所）
『心に愛がなければ』（ＰＨＰ研究所）
『愛をつかむ』（ＰＨＰ研究所）
『愛をこめて生きる』（ＰＨＰ研究所）
『愛することは許されること』（ＰＨＰ研究所）
『目に見えないけれど大切なもの』（ＰＨＰ研究所）
『幸せのありか』（ＰＨＰ研究所）

〈著者紹介〉

渡辺和子（わたなべ　かずこ）

1927年２月、教育総監・渡辺錠太郎の次女として生まれる。51年、聖心女子大学を経て、54年、上智大学大学院修了。56年、ノートルダム修道女会に入り、アメリカに派遣されてボストン・カレッジ大学院に学ぶ。74年、岡山県文化賞（学術部門）、79年、山陽新聞賞（教育功労）、岡山県社会福祉協議会より済世賞、86年、ソロプチミスト日本財団より千嘉代子賞、89年、三木記念賞受賞。ノートルダム清心女子大学（岡山）教授を経て、90年３月まで同大学学長。現在、ノートルダム清心学園理事長。

著書に、『置かれた場所で咲きなさい』『面倒だから、しよう』（以上、幻冬舎）、『現代の忘れもの』（日本看護協会出版会）、『目に見えないけれど大切なもの』『「ひと」として大切なこと』『美しい人に』『愛と励ましの言葉366日』『マザー・テレサ 愛と祈りのことば〈翻訳〉』（以上、ＰＨＰ研究所）ほか多数がある。

幸せはあなたの心が決める

2015年９月25日　第１版第１刷発行
2015年11月18日　第１版第６刷発行

著　　者　渡辺和子
発 行 者　山崎　至
発 行 所　株式会社ＰＨＰ研究所
東京本部　〒135-8137　江東区豊洲5-6-52
児童書局　出版部　☎03-3520-9635（編集）
普及部　☎03-3520-9634（販売）
京都本部　〒601-8411　京都市南区西九条北ノ内町11
PHP INTERFACE　http://www.php.co.jp/

制作協力
組　　版　株式会社ＰＨＰエディターズ・グループ
印 刷 所　凸版印刷株式会社
製 本 所　株式会社大進堂

ISBN978-4-569-78499-1

NDC159 <143>P 18cm